Science Content

PICTURE DICTIONARY

English/Spanish

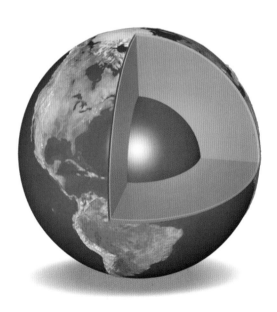

LEARNING RESOURCES®

VERNON HILLS • KING'S LYNN

© Photography by 1989 Roger Ressmeyer, AGE Fotostock/SuperStock, Altrendo Images/Getty Images, Ariel Skelley/Corbis, Bouve Francois/AGE Fotostock, Brian P. Kenney/Animals Animals, Carson Ganci/AGE Fotostock, Chris Mattison/SuperStock, Clive Streeter/Dorling Kindersley/Getty Images, Corbis, Corbis/AGE Fotostock, Corey Hochachka/AGE Fotostock, Creatas/AGE Fotostock, Daniel J. Cox/Corbis, Dave & Les Jacobs/AGE Fotostock, David Muench/Corbis, David W. Middleton/SuperStock, Dean Uhlinger/Corbis, Digital Vision/Getty Images, Don Klumpp/Getty Images, E. R. Degginger/Photo Researchers, Inc., Eckhard Slawik/Photo Researchers, Inc., Enrique R. Aguirre/AGE Fotostock, Eric V. Grave/Photo Researchers, Inc., Ernest Manewal/SuperStock, Eye of Science/Photo Researchers, Inc., Food Features/Alamy, Frank Krahmer/Getty Images, G. Brad Lewis/Getty Images, Gabriela Staebler/zefa/Corbis, Gary Buss/Getty Images, Gary John Norman/Getty Images, Georgie Holland/AGE Fotostock, Gerard Lacz/Animals Animals, Getty Images, Guy Grenier/Masterfile, Hugh Threlfall/Alamy, Ian Shelton/Corbis, Iconica/Getty Images, Jack Novak/SuperStock, Javier Larrea/AGE Fotostock, Jean-Marc Charles/AGE Fotostock, Jim Sugar/Corbis, Joe McDonald/Corbis, John Cancalosi/AGE Fotostock, Jonathan & Angela/Getty Images, Jose Luis Pelaez, Inc/Jupiter Images, Kelly-Mooney Photography/Corbis, Kenneth H. Thomas/Photo Researchers, Inc., Klaus Nigge/Getty Images, Larry L. Miller/ Photo Researchers, Inc., Lester Lefkowitz/Getty Images, Lloyd Cluff/Corbis, Louie Psihoyos/Corbis, Mark Harmel/Getty Images, Mark J. Barrett/Alamy, Mauritius/SuperStock, NASA, Neil Rabinowitz/ Corbis, Nuridsany & Perennou/Photo Researchers, Inc., Pankaj & Insy Shah/AGE Fotostock, Paul A. Souders/Corbis, Phil Degginger/Alamy, Photos.com/Jupiter Images, PHOTOTAKE Inc./Alamy, Purestock/Getty Images, Reuters/Corbis, Richard Hutchings/Corbis, Rick Gomez/Masterfile, Robb Gregg, Robert Karpa/Masterfile, Rod Planck/Photo Researchers, Inc., Roy McMahon/Corbis, Scott Camazine/Photo Researchers, Inc., Steve Vidler/SuperStock, Stone/Getty Images, Terrance Klassen/SuperStock, The Stocktrek Corp/Jupiter Images, Tim Fuller, Tim Pannell/Corbis, Tom Grill/Corbis, Tom Till/Alamy, Visuals Unlimited/Corbis, William Manning/Corbis, Yoav Levy/Phototake

ISBN 978-1-56911-274-8

Printed in China.

Why a Bilingual Content Picture Dictionary?

The *Science Content Picture Dictionary* is written for science learners as well as for English language learners who are in Grades K+. It has been developed in a bilingual format to help English learners have a familiar context when trying to make sense of the English words and definitions they are learning every day in their science class. This dictionary is also very useful in a dual-language classroom situation, because it allows native English speakers to learn key academic language in Spanish.

Each entry in the dictionary is presented in both languages, English and Spanish, thus creating an English column and a Spanish column. The center column is the area where the images appear. These are carefully-researched photographs that illustrate the meaning of each entry and provide context. Some illustrations include captions and labels to strengthen its connection to the entry word. Each entry word is followed by a definition and a full sentence, that exemplifies the science concept described and adds context.

The 168 entries in this dictionary cover the vocabulary taught in four important areas of science instruction—Life Science, Earth Science, Space Science, and Physical Science. Because of the wide range of age groups that can use this dictionary, the definitions and examples presented are written in a simple but comprehensive manner, so all children can have access to important science content, without feeling overwhelmed by the difficulty of the language.

The entries in this book are listed in alphabetical order within the English column, so that children can easily find the science concepts they will learn during the school year.

In order to use this dictionary and find words successfully, all that children need to know is the alphabet. Using a dictionary and looking for different definitions can improve children's ability to familiarize themselves with the basic concepts of print, and it can prepare them to use larger dictionaries in the future.

Learning Opportunity As children use the *Science Content Picture Dictionary*, they will become aware of the many similarities found between English and Spanish entry words. You might want to take this opportunity to point out that the reason for this alikeness is the fact that most science words in many languages have their roots in Latin and Greek. You can also point out that these very similar words are called *cognates*, and that they are very important words to know because they will be part of their basic science lexicon throughout their school years.

Bonus Extra pages are available at the back of the book for students to add additional science vocabulary words, illustrate their meaning, and put the word into context.

¿Por qué creamos un diccionario ilustrado bilingüe?

El *Diccionario ilustrado de ciencias* ha sido desarrollado para estudiantes de ciencias así como para estudiantes de inglés que cursan desde kindergarten hasta los grados sucesivos (y de ahí en adelante). Ha sido escrito en un formato bilingüe para así entregar un contexto familiar a los estudiantes de inglés que intentan comprender las palabras y definiciones en inglés que aprenden a diario en su clase de ciencias. Este diccionario es además muy práctico en un salón de clases bilingüe, ya que permite que los estudiantes que hablan inglés como primera lengua aprendan vocabulario académico clave en español.

Cada entrada del diccionario se presenta en ambos idiomas, creando así una columna en inglés y otra en español. En la columna del medio aparecen las imágenes. Éstas comprenden fotografías que han sido seleccionadas cuidadosamente, ilustran el significado de cada entrada y proveen contexto al estudiante. Algunas de estas ilustraciones incluyen subtítulos y rótulos para reforzar su conexión con la entrada. Cada una de las entradas del diccionario va acompañada de una definición y una oración que ejemplifica el concepto de ciencias descrito y añade contexto.

Las 168 entradas en este diccionario cubren el vocabulario impartido en cuatro importantes áreas del currículo de ciencias, como son: Ciencias naturales, Ciencias de la Tierra, Ciencias del espacio y Ciencias físicas. Considerando el amplio rango de edades de los niños que pueden usar este diccionario, las definiciones y ejemplos presentados han sido escritos de una manera simple, aunque detallada, para que los niños tengan acceso al importante contenido de ciencias sin sentirse abrumados por la dificultad del lenguaje.

Las entradas han sido organizadas en orden alfabético, usando la columna de inglés como punto de referencia, de modo que los niños puedan fácilmente hallar cada concepto de ciencias que aprenderán durante el año escolar.
Para usar este diccionario y hallar palabras exitosamente, los niños simplemente deben conocer el alfabeto. Emplear un diccionario y buscar distintas definiciones en él puede ayudar a los niños a comprender los aspectos de un texto impreso. Además, puede prepararlos para emplear diccionarios más grandes en el futuro.

Oportunidad de aprendizaje

Al utilizar el *Diccionario ilustrado de ciencias,* los niños se dan cuenta de las similitudes que existen entre las entradas en inglés y en español. Si lo desea, puede aprovechar esta oportunidad para señalar que la razón de esta similitud se basa en que la mayoría de las palabras de ciencias en varios idiomas tienen sus raíces en el latín y el griego. Puede señalar además que estas palabras similares se llaman *cognados* y que es importante conocerlas, puesto que formarán parte del vocabulario básico de ciencias durante sus años de escuela.

Además Al final de este libro encontrará páginas adicionales para que los estudiantes agreguen más palabras del vocabulario de ciencias, ilustren su significado y las pongan en contexto.

English		**Spanish**

A

absorb

Absorb means to take in.

Objects **absorb** some colors of light.

absorber

Absorber quiere decir tomar hacia dentro.

Los objetos **absorben** algunos colores de la luz.

adaptation

An **adaptation** is a body part or the way a living thing acts that helps it live in its habitat.

The way birds fly in a pattern is an **adaptation**.

adaptación

Una **adaptación** es una parte del cuerpo o la manera en que un ser vivo actúa que lo ayuda a vivir en su hábitat.

El vuelo de las aves en forma de un patrón es una **adaptación**.

amphibian

An **amphibian** is an animal with a backbone that lives part of its life in water and part of its life on land.

The frog is an **amphibian**.

anfibio

Un **anfibio** es un animal con columna vertebral que vive parte de su vida en el agua y parte de su vida en la tierra.

La rana es un **anfibio**.

English		**Spanish**
atmosphere The **atmosphere** is the layer of gases that covers Earth. You cannot see the gases in the **atmosphere**.		**atmósfera** La **atmósfera** es la capa de gases que cubre la Tierra. No puedes ver los gases en la **atmósfera**.
atom An **atom** is the smallest piece of an element. All **atoms** have the same kinds of parts.		**átomo** Un **átomo** es la parte más pequeña de un elemento. Todos los **átomos** tienen las mismas partes.
attract **Attract** means to pull toward. Unlike poles of a magnet **attract**.		**atraer** **Atraer** quiere decir jalar hacia sí. Los polos opuestos de un imán se **atraen**.

English

Spanish

axis

Earth's **axis** is an imaginary line through Earth from the North Pole to the South Pole.

Earth spins on its **axis**.

eje

El **eje** de la Tierra es una línea imaginaria que cruza la Tierra desde el Polo Norte hasta el Polo Sur.

La Tierra gira sobre su **eje**.

bird

A **bird** is an animal with a backbone, feathers, and wings.

This ibis is a **bird**.

ave

Un **ave** es un animal con columna vertebral, plumas y alas.

Esta ibis es un **ave**.

camouflage

Camouflage is the color or shape of an animal that makes the animal hard to see in its environment.

The insect uses **camouflage** to hide on the leaf.

camuflaje

El **camuflaje** es el color o la forma de un animal que hace que sea difícil verlo en su medio ambiente.

El insecto usa el **camuflaje** para esconderse en la hoja.

C

English		**Spanish**

c

carnivore

A **carnivore** is an organism that eats only animals.

An owl is a **carnivore**.

carnívoro

Un **carnívoro** es un organismo que sólo come animales.

Un búho es un **carnívoro**.

cell

A **cell** is the smallest living part of an organism.

animal cell

plant cell

The smallest living part of a plant or animal is a **cell**.

célula

La **célula** es la parte viva más pequeña de un organismo.

La parte viva más pequeña de una planta o animal es una **célula**.

change of state

A **change of state** is when matter changes form from a solid, liquid, or gas to another form.

A **change of state** takes place when thermal energy moves to the icicles.

cambio de estado

Un **cambio de estado** ocurre cuando la materia cambia de forma de un sólido, líquido o gas a otra forma.

Un **cambio de estado** ocurre cuando la energía térmica se mueve a los carámbanos.

Science Content Picture Dictionary

English | Spanish

chemical change

A **chemical change** is when one kind of matter changes to a different kind of matter.

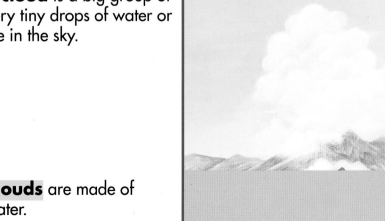

A **chemical change** takes place when wood burns.

cambio químico

Un **cambio químico** ocurre cuando un tipo de materia se convierte en un tipo distinto de materia.

Ocurre un **cambio químico** cuando se quema la madera.

class

A **class** is a smaller group of organisms in a phylum.

The animals in this **class** have a backbone and fur.

clase

Una **clase** es un grupo más pequeño de organismos en un filo.

Los animales en esta **clase** tienen columna vertebral y pelaje.

cloud

A **cloud** is a big group of very tiny drops of water or ice in the sky.

Clouds are made of water.

nube

Una **nube** es un grupo grande de pequeñas gotas de agua o hielo en el cielo.

Las **nubes** están hechas de agua.

C

English		Spanish

community

A **community** is all the populations that live in a certain place.

Zebras, elephants, giraffes, and trees are part of this **community**.

comunidad

Una **comunidad** la componen todas las poblaciones que viven en un lugar determinado.

Las cebras, elefantes, jirafas y árboles son parte de esta **comunidad**.

compound

A **compound** is a kind of matter made of two or more elements.

sodium + **chlorine** = **table salt**

A **compound** is different from the elements that make it.

compuesto

Un **compuesto** es un tipo de materia hecho de dos o más elementos.

Un **compuesto** es diferente de los elementos que lo componen.

condensation

Condensation is when a gas changes to a liquid.

Water vapor in the air forms clouds during **condensation**.

condensación

La **condensación** ocurre cuando un gas se convierte en un líquido.

El vapor de agua en el aire forma nubes durante la **condensación**.

English

Spanish

conduction

Conduction is when thermal energy moves between objects that touch.

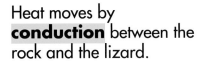

Heat moves by **conduction** between the rock and the lizard.

conducción

La **conducción** ocurre cuando la energía térmica se transmite entre objetos que se tocan.

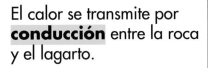

El calor se transmite por **conducción** entre la roca y el lagarto.

C

conservation

Conservation is using natural resources carefully so they will last longer.

You can make natural resources last longer through **conservation**.

conservación

La **conservación** es el uso prudente de los recursos naturales para que duren por más tiempo.

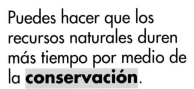

Puedes hacer que los recursos naturales duren más tiempo por medio de la **conservación**.

constellation

A **constellation** is a group of stars that look like they make a picture in the sky.

Many people think stars make **constellations**.

constelación

Una **constelación** es un grupo de estrellas que parecen formar un dibujo en el cielo.

Muchas personas piensan que las estrellas forman **constelaciones**.

English	Spanish

consumer

A **consumer** is a living thing that cannot make its own food.

The turtle is a **consumer**.

consumidor

Un **consumidor** es un ser vivo que no puede producir su propio alimento.

La tortuga es un **consumidor**.

convection

Convection is when thermal energy flows in a liquid or gas.

Water in this pot moves by **convection**.

convección

La **convección** ocurre cuando la energía térmica se mueve por un líquido o gas.

El agua en esta olla se mueve por **convección**.

core

The **core** is Earth's center.

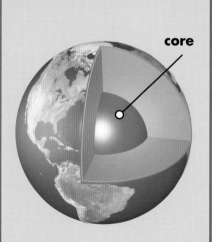

core

The **core** is Earth's hottest layer.

núcleo

El **núcleo** es el centro de la Tierra.

El **núcleo** es la capa más caliente de la Tierra.

English

Spanish

crust

The **crust** is Earth's thin, outer layer.

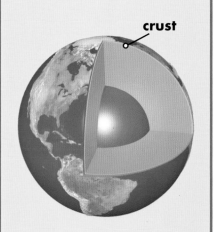
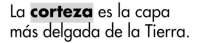

The **crust** is Earth's thinnest layer.

corteza

La **corteza** es la capa delgada y exterior de la Tierra.

La **corteza** es la capa más delgada de la Tierra.

day

Day is the time of light from when the Sun rises in the sky until it sets.

Day is when your part of Earth faces the Sun.

día

El **día** es el tiempo de luz desde que el sol sale hasta que se pone.

Es de **día** cuando tu región de la Tierra da la cara al Sol.

decomposer

A **decomposer** is an organism that breaks down dead plants and animals.

This **decomposer** gets energy from the dead log.

saprofito

Un **saprofito** es un organismo que descompone plantas y animales muertos.

Este **saprofito** obtiene energía del tronco muerto.

D

English

Spanish

density

Density is the amount of mass in a certain volume.

You can compare the **density** of liquids and objects by seeing how they float.

densidad

La **densidad** es la cantidad de masa en un volumen determinado.

Puedes comparar la **densidad** de líquidos y objetos al ver cómo flotan.

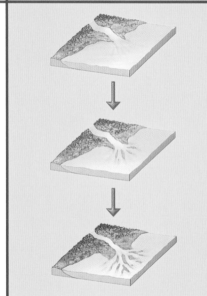

deposition

Deposition is the dropping of soil and rock pieces in a new place.

Deposition can cause changes in a river.

sedimentación

La **sedimentación** es el depósito de suelo y trozos de roca en un lugar nuevo.

La **sedimentación** puede causar cambios en un río.

dinosaur

A **dinosaur** is an animal that lived very long ago.

This skeleton is from a Chasmosaurus **dinosaur**.

dinosaurio

Un **dinosaurio** es un animal que vivió hace mucho tiempo.

Este esqueleto es de un **dinosaurio** chasmosauro.

D

English

Spanish

earthquake

An **earthquake** is the shaking of Earth's crust.

An **earthquake** can cause roads to break apart.

terremoto

Un **terremoto** es el movimiento brusco de la corteza terrestre.

Un **terremoto** puede causar que los caminos se separen.

ecosystem

An **ecosystem** is all the living and nonliving things in a certain place.

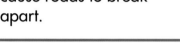

The giraffes, zebras, trees, and air are some parts of this **ecosystem**.

ecosistema

Un **ecosistema** lo componen todos los seres vivos y las cosas sin vida en un lugar determinado.

Las jirafas, cebras, árboles y el aire son algunas partes de este **ecosistema**.

egg

An **egg** is the first part of some life cycles. A young animal hatches from the egg.

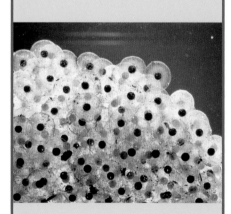

A frog begins as an **egg**.

huevo

Un **huevo** es la primera parte de algunos ciclos de vida. Una cría nace del huevo.

La vida de la rana comienza en un **huevo**.

E

English

Spanish

electric charge

An **electric charge** is a tiny bit of energy in the particles of matter.

All matter is made of particles that have an **electric charge**.

carga eléctrica

Una **carga eléctrica** es una pequeña cantidad de energía en las partículas de la materia.

Toda la materia está compuesta de partículas que tienen una **carga eléctrica**.

electric circuit

An **electric circuit** is a complete path that electric charges can flow through.

Electric current flows through this **electric circuit**.

circuito eléctrico

Un **circuito eléctrico** es todo el camino por el que fluyen las cargas eléctricas.

La corriente eléctrica fluye por este **circuito eléctrico**.

electric current

Electric current is the flow of electric charges from place to place.

Lightning is one kind of **electric current**.

corriente eléctrica

La **corriente eléctrica** es el flujo de cargas eléctricas de un lugar a otro.

Un relámpago es un tipo de **corriente eléctrica**.

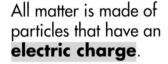

English

element

An **element** is a kind of matter that cannot be broken down into another kind of matter.

Gold is an **element**.

embryo

An **embryo** is the part of a seed that can grow into a new plant.

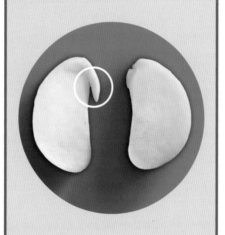

Each seed has an **embryo**.

energy

Energy is the ability to make matter change or move.

The **energy** of a fire can change matter.

Spanish

elemento

Un **elemento** es un tipo de materia que no puede descomponerse en otro tipo de materia.

El oro es un **elemento**.

embrión

Un **embrión** es la parte de la semilla que puede convertirse en una planta nueva.

Toda semilla tiene un **embrión**.

energía

La **energía** es la capacidad para hacer que la materia cambie o se mueva.

La **energía** de una fogata puede cambiar la materia.

E

English	Spanish
energy pyramid	**pirámide energética**
An **energy pyramid** is a picture that shows the way energy flows through an ecosystem.	Una **pirámide energética** es un dibujo que muestra cómo fluye la energía en un ecosistema.

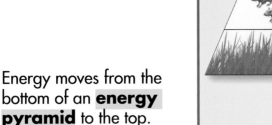

Energy moves from the bottom of an **energy pyramid** to the top.	La energía se mueve desde la base de la **pirámide energética** hasta la cima.
energy transfer	**transferencia de energía**
Energy transfer is when energy moves from place to place.	La **transferencia de energía** ocurre cuando la energía se mueve de un lugar a otro.

Energy transfer from a fire warms your body.	La **transferencia de energía** de una fogata calienta tu cuerpo.
environment	**medio ambiente**
An **environment** is everything around a living thing that affects how it grows.	Un **medio ambiente** es todo lo que rodea a un ser vivo y afecta como éste se desarrolla.

Many living things live in a forest **environment**.	Muchos seres vivos viven en un **medio ambiente** de bosque.

E

English	Spanish

epicenter

The **epicenter** is the place on Earth's surface directly above where an earthquake begins.

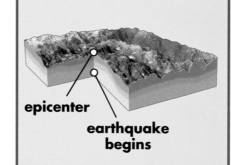

epicenter

earthquake begins

Earth's surface shakes most at an earthquake's **epicenter**.

epicentro

El **epicentro** es el lugar en la superficie de la Tierra directamente sobre el lugar en donde comienza un terremoto.

La superficie de la Tierra tiembla más en el **epicentro** del terremoto.

E

equator

Earth's **equator** is an imaginary line that circles Earth halfway between the North Pole and the South Pole.

equator

Earth spins fastest at its **equator**.

ecuador

El **ecuador** de la Tierra es una línea imaginaria alrededor de la mitad de la Tierra entre el Polo Norte y el Polo Sur.

La Tierra gira más rápido en su **ecuador**.

erosion

Erosion is when water or wind move soil or bits of rock.

Erosion moved the pieces of this rock.

erosión

La **erosión** ocurre cuando el agua o el viento mueven tierra o trocitos de roca.

La **erosión** movió los trozos de esta roca.

English

Spanish

evaporation

Evaporation is when a liquid changes to a gas.

Water enters the air as water vapor during **evaporation**.

evaporación

La **evaporación** ocurre cuando un líquido se convierte en un gas.

El agua entra al aire como vapor de agua durante la **evaporación**.

experiment

An **experiment** is a carefully planned test to answer a question.

You can do an **experiment** with shadows to learn about light.

experimento

Un **experimento** es una prueba planificada cuidadosamente para responder una pregunta.

Puedes hacer un **experimento** con sombras para aprender sobre la luz.

extinction

Extinction is when one kind of organism no longer lives on Earth.

No one knows for sure what caused the **extinction** of dinosaurs.

extinción

Una **extinción** ocurre cuando un tipo de organismo ya no vive en la Tierra.

Nadie sabe con seguridad qué causó la **extinción** de los dinosaurios.

English

Spanish

fault

A **fault** is a crack in Earth's crust where rock layers move.

When Earth's plates move, a **fault** can happen.

fault

falla

Una **falla** es una grieta en la corteza terrestre en donde se mueven las capas de roca.

Cuando las placas de la Tierra se mueven puede hacerse una **falla**.

fish

A **fish** is an animal with a backbone that lives in water and has gills.

This **fish** has a backbone.

pez

Un **pez** es un animal con columna vertebral que vive en el agua y que tiene agallas.

Este **pez** tiene una columna vertebral.

flower

A **flower** is the part of the plant that makes seeds.

A **flower** makes seeds.

flor

La **flor** es la parte de la planta que produce las semillas.

Una **flor** produce semillas.

F

© Learning Resources, Inc.

English		Spanish

food

Food is anything that an animal eats to get energy.

Living things get energy from **food**.

alimento

El **alimento** es lo que un animal come para obtener energía.

Los seres vivos obtienen energía del **alimento**.

food chain

A **food chain** is the way energy passes from one living thing to another.

The **food chain** shows how living things get energy.

cadena alimenticia

Una **cadena alimenticia** es la forma en que la energía pasa de un ser vivo a otro.

La **cadena alimenticia** muestra cómo los seres vivos obtienen energía.

food web

A **food web** is all the food chains in an environment.

Many food chains make up this **food web**.

red alimenticia

Una **red alimenticia** está formada por todas las cadenas alimenticias en un medio ambiente.

Muchas cadenas alimenticias forman esta **red alimenticia**.

English		**Spanish**

force

A **force** is a push or pull.

A **force** can make objects move.

fuerza

Una **fuerza** es empujar o jalar.

Una **fuerza** puede mover los objetos.

fossil

A **fossil** is a print or a part of a living thing that lived very long ago.

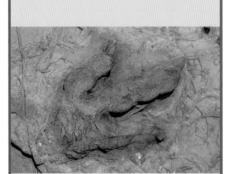

This **fossil** is a dinosaur footprint.

fósil

Un **fósil** es una huella o una parte de un ser vivo que vivió hace mucho tiempo.

Este **fósil** es la huella de un dinosaurio.

friction

Friction is a force that stops or slows down moving things that touch each other.

Friction slows down a moving skater.

fricción

La **fricción** es una fuerza que detiene o desacelera objetos en movimiento que se tocan.

La **fricción** desacelera a una patinadora en movimiento.

F

English	Spanish

fulcrum

A **fulcrum** is the place where a lever rests and moves.

fulcro

El **fulcro** es el lugar en donde la palanca se apoya y se mueve.

The wheel is the **fulcrum** of this lever.

La rueda es el **fulcro** de esta palanca.

galaxy

A **galaxy** is a huge group of stars, dust, and gases held together by gravity.

galaxia

Una **galaxia** es un gran grupo de estrellas, polvo y gases que se mantienen unidos por la gravedad.

A **galaxy** has billions of stars.

Una **galaxia** tiene miles de millones de estrellas.

gas

A **gas** is a kind of matter that does not have its own size and shape.

air

gas

Un **gas** es un tipo de materia que no tiene ni tamaño ni forma propia.

Air is a **gas**.

El aire es un **gas**.

G

English

Spanish

gravity

Gravity is a force that pulls all matter toward the center of Earth.

Gravity pulls a sled downhill.

gravedad

La **gravedad** es una fuerza que jala toda la materia hacia el centro de la Tierra.

La **gravedad** jala un trineo por una pendiente.

habitat

A **habitat** is the place where a living thing lives.

The tree is the mushroom's **habitat**.

hábitat

Un **hábitat** es el lugar en donde vive un ser vivo.

El árbol es el **hábitat** del hongo.

heat

Heat is a kind of energy that moves from a warmer object to a cooler object and makes both objects change temperature.

A fire gives off **heat**.

calor

El **calor** es un tipo de energía que se mueve de un objeto más caliente a un objeto más frío y hace que ambos cambien de temperatura.

El fuego despide **calor**.

H

English	Spanish

herbivore

A **herbivore** is an animal that eats only plants.

A horse is an **herbivore**.

herbívoro

Un **herbívoro** es un animal que sólo come plantas.

Un caballo es un **herbívoro**.

igneous rock

Igneous rock forms when melted rock cools and gets hard.

Melted rock that cools forms **igneous rock**.

roca ígnea

La **roca ígnea** se forma cuando la roca derretida se enfría y endurece.

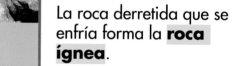

La roca derretida que se enfría forma la **roca ígnea**.

inclined plane

An **inclined plane** is a simple machine made of a long flat object with one end higher than the other.

A ramp is a kind of **inclined plane**.

plano inclinado

Un **plano inclinado** es una máquina simple hecha de un objeto largo y plano que tiene un extremo más alto que el otro.

Una rampa es un tipo de **plano inclinado**.

Science Content Picture Dictionary

I

English

inertia

Inertia is when an object keeps moving or stays still unless a force acts on it.

Inertia keeps the rocks from moving.

inherited

Inherited means received from a mother or father.

The hump on a baby camel is **inherited** from its mother and father.

investigate

When you **investigate** something, you study it carefully.

Scientists **investigate** to learn about things.

Spanish

inercia

La **inercia** es cuando un objeto se mantiene en movimiento o se queda quieto a menos que una fuerza actúe sobre él.

La **inercia** evita que las rocas se muevan.

heredado

Heredado significa recibido de la madre o del padre.

La joroba de la cría del camello es **heredada** de sus padres.

investigar

Cuando **investigas** algo, lo estudias cuidadosamente.

Los científicos **investigan** para aprender acerca de las cosas.

I

English

Spanish

investigation

An **investigation** is studying something carefully to find information.

Scientists can do an **investigation** to learn about Earth's layers.

investigación

Una **investigación** es estudiar algo cuidadosamente para encontrar información.

Los científicos pueden realizar una **investigación** para aprender acerca de las capas de la Tierra.

kinetic energy

Kinetic energy is the energy of a moving object.

Potential energy changes to **kinetic energy** as the roller coaster moves down the track.

energía cinética

La **energía cinética** es la energía de un objeto en movimiento.

La energía potencial se convierte en **energía cinética** a medida que los carros de la montaña rusa bajan por los rieles.

kingdom

A **kingdom** is the largest group of organisms with traits that are alike.

The Animal **Kingdom** has every kind of animal.

reino

Un **reino** es el grupo más grande de organismos con características similares.

El **reino** animal incluye a todos los animales.

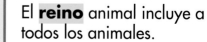

K

English

landform

A **landform** is a shape of land, such as a mountain.

A mountain is one kind of **landform**.

landslide

A **landslide** is when a lot of rock or soil suddenly moves downhill.

Soil can move and damage homes in a **landslide**.

larva

A **larva** is a very young insect that has a different shape than the grown insect.

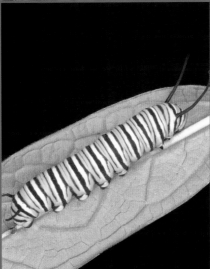

A caterpillar is a butterfly **larva**.

Spanish

accidente geográfico

Un **accidente geográfico** es una forma del terreno, como una montaña.

Una montaña es un tipo de **accidente geográfico**.

derrumbe

Un **derrumbe** ocurre cuando un montón de roca o suelo se mueve sin aviso por una pendiente.

El suelo puede desprenderse y dañar casas en un **derrumbe**.

larva

Una **larva** es un insecto muy joven que tiene una forma distinta de la del insecto adulto.

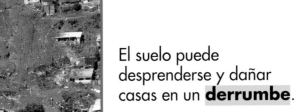

Una oruga es la **larva** de una mariposa.

lava • lava

English		**Spanish**

lava

Lava is magma that reaches Earth's surface.

lava

Lava comes out of holes in a volcano.

lava

La **lava** es el magma que sale a la superficie de la Tierra.

La **lava** sale por los agujeros de un volcán.

leaf

A **leaf** is the part of the plant that makes food for the plant.

A **leaf** makes food.

hoja

La **hoja** es la parte de la planta que produce alimento para la planta.

Una **hoja** produce alimento.

lever

A **lever** is a simple machine with a bar that rests and moves on a point.

A seesaw is a **lever**.

palanca

Una **palanca** es una máquina simple con una barra que se apoya y se mueve sobre un punto.

Un sube y baja es una **palanca**.

English

Spanish

life cycle

A **life cycle** is the way a living thing grows and changes.

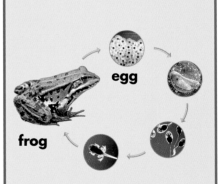

egg

frog

A frog grows and changes in a **life cycle**.

ciclo de vida

El **ciclo de vida** es la manera en que un ser vivo crece y cambia.

Una rana crece y cambia en un **ciclo de vida**.

light

Light is energy we can see.

A lantern gives off **light**.

luz

La **luz** es la energía que podemos ver.

Una linterna emite **luz**.

liquid

A **liquid** is a kind of matter that does not have its own shape.

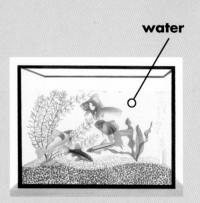

water

Water is a **liquid**.

líquido

Un **líquido** es un tipo de materia que no tiene su propia forma.

El agua es un **líquido**.

English	Spanish

living thing

A **living thing** is something that needs food and water to grow and change.

A panda is a **living thing**.

ser vivo

Un **ser vivo** es algo que necesita alimento y agua para crecer y cambiar.

Un oso panda es un **ser vivo**.

loudness

Loudness is how loud or soft a sound is.

You can hear the **loudness** of the wolf's howl.

volumen

El **volumen** es qué tan fuerte o suave es un sonido.

Puedes oír el **volumen** del aullido de un lobo.

lunar eclipse

A **lunar eclipse** is when the Moon becomes dark as it passes through Earth's shadow.

During a **lunar eclipse**, Earth's shadow covers the Moon.

eclipse lunar

Un **eclipse lunar** ocurre cuando la Luna se oscurece al pasar por la sombra de la Tierra.

En un **eclipse lunar** la sombra de la Tierra cubre la Luna.

L

English

Spanish

magnetic force

Magnetic force is a force that pulls objects that contain iron.

A **magnetic force** can push or pull objects.

fuerza magnética

La **fuerza magnética** es una fuerza que jala a los objetos que contienen hierro.

La **fuerza magnética** puede empujar o jalar objetos.

magma

Magma is hot, melted rock deep inside Earth.

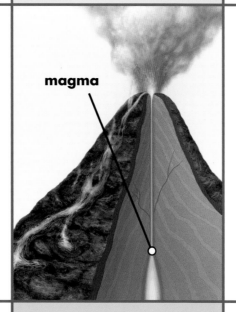

magma

Magma deep in Earth can move to the surface.

magma

El **magma** es la roca caliente y derretida que está en el fondo de la Tierra.

El **magma** en el fondo de la Tierra puede moverse hacia la superficie.

mammal

A **mammal** is an animal that has a backbone and hair or fur and feeds milk to its young.

A horse is a **mammal**.

mamífero

Un **mamífero** es un animal que tiene columna vertebral, tiene pelo o pelaje y alimenta con leche a sus crías.

Un caballo es un **mamífero**.

M

English		**Spanish**
mantle		**manto**
The **mantle** is Earth's middle layer.	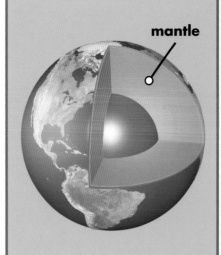 mantle	El **manto** es la capa del medio de la Tierra.
The **mantle** makes up most of Earth.		El **manto** constituye la mayor parte de la Tierra.
mass		**masa**
Mass is how much matter an object has.	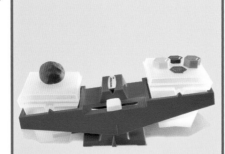	La **masa** es la cantidad de materia que tiene un objeto.
You use a balance to find the **mass** of an object.		Usas una balanza para hallar la **masa** de un objeto.
matter		**materia**
Matter is anything that takes up space and has mass.		La **materia** es algo que ocupa un espacio y que tiene masa.
The ball, the apple, and the table are some things made of **matter**.		La pelota, la manzana y la mesa son algunas cosas hechas de **materia**.

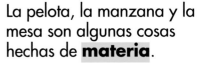

M

English	Spanish

metamorphic rock

Metamorphic rock forms when heat and pressure below Earth's surface change rocks.

Heat and pressure form **metamorphic rock**.

roca metamórfica

La **roca metamórfica** se forma cuando el calor y la presión bajo la superficie de la Tierra cambia a las rocas.

El calor y la presión forman la **roca metamórfica**.

microscope

A **microscope** is a tool used to look at very small objects.

You must use a **microscope** to see a cell.

microscopio

Un **microscopio** es una herramienta que se usa para mirar objetos muy pequeños.

Debes usar un **microscopio** para ver una célula.

mixture

A **mixture** is two or more things put together, but the things do not change.

gravel

Gravel is a **mixture** of different kinds of stones.

mezcla

Una **mezcla** la forman dos o más cosas combinadas, pero las cosas no cambian.

La grava es una **mezcla** de distintos tipos de piedras.

English		**Spanish**

Moon

The **Moon** is a large object in the sky that moves around Earth.

The **Moon** reflects light from the Sun.

Luna

La **Luna** es un objeto grande en el cielo que se mueve alrededor de la Tierra.

La **Luna** refleja la luz del Sol.

Moon phase

A **Moon phase** is the shape of the lighted part of the Moon we see.

The Moon has different **Moon phases**.

fase lunar

Una **fase lunar** es la forma de la parte iluminada de la Luna que vemos.

La Luna tiene distintas **fases lunares**.

motion

Motion is when something moves from place to place.

Ice skaters moving across the ice are in **motion**.

movimiento

El **movimiento** ocurre cuando algo se mueve de un lugar a otro.

Los patinadores que patinan sobre el hielo están en **movimiento**.

English		Spanish

N

natural resource

A **natural resource** is any part of Earth that living things use.

Water is an important **natural resource**.

recurso natural

Un **recurso natural** es cualquier parte de la Tierra que los seres vivos usan.

El agua es un **recurso natural** importante.

night

Night is the time of darkness from when the Sun sets in the sky until it rises.

Night is when your part of Earth faces away from the Sun.

noche

La **noche** es el tiempo de oscuridad desde que el sol se pone hasta que sale.

Es de **noche** cuando tu región de la Tierra no le está dando la cara al Sol.

nonliving thing

A **nonliving thing** is something that does not need food and water.

A rock is a **nonliving thing**.

cosa sin vida

Una **cosa sin vida** es algo que no necesita ni alimento ni agua.

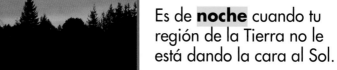

Una roca es una **cosa sin vida**.

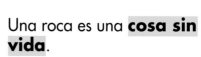

English	Spanish

nonrenewable resource

A **nonrenewable resource** is a natural resource that cannot be replaced as fast as we use it.

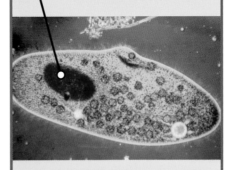

Coal is a **nonrenewable resource**.

recurso no renovable

Un **recurso no renovable** es un recurso natural que no puede ser reemplazado tan rápidamente como lo usamos.

El carbón es un **recurso no renovable**.

nucleus

A **nucleus** is a cell part that tells the cell what to do.

nucleus

The dark part of this paramecium is the **nucleus**.

núcleo

El **núcleo** es una parte de la célula que le dice a la célula qué hacer.

La parte oscura de este paramecio es el **núcleo**.

omnivore

An **omnivore** is an organism that eats both plants and animals.

A bear is an **omnivore**.

omnívoro

Un **omnívoro** es un organismo que come tanto plantas como animales.

Un oso es un **omnívoro**.

English | Spanish

orbit

Earth's **orbit** is the path Earth takes around the Sun.

Earth's **orbit** around the Sun takes one year.

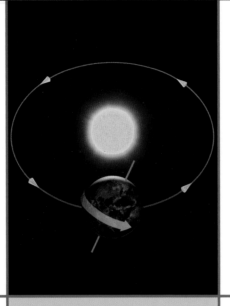

órbita

La **órbita** de la Tierra es el camino que la Tierra recorre alrededor del Sol.

La **órbita** de la Tierra alrededor del Sol toma un año.

organ

An **organ** is a group of tissues that work together to do a certain job.

The liver is an **organ** that breaks down fat in food.

órgano

Un **órgano** es un grupo de tejidos que trabajan en conjunto para hacer un trabajo determinado.

El hígado es un **órgano** que procesa la grasa de los alimentos.

organ system

An **organ system** is a group of organs that work together to do a certain job.

This **organ system** breaks down food so the body can use it.

sistema de órganos

Un **sistema de órganos** es un grupo de órganos que trabajan en conjunto para hacer un trabajo de terminado.

Este **sistema de órganos** procesa los alimentos para que el cuerpo pueda usarlos.

English

Spanish

organism

An **organism** is a living thing.

The plant and the insect are **organisms**.

organismo

Un **organismo** es un ser vivo.

La planta y el insecto son **organismos**.

ovary

The **ovary** is the part of the pistil where seeds form.

The **ovary** of a flower makes eggs.

ovario

El **ovario** es la parte del pistilo en donde se forman las semillas.

El **ovario** de una flor produce huevos.

photosynthesis

Photosynthesis is the way plants make their own food.

oxygen

sunlight

carbon dioxide

water

sugar

Plant leaves make food during **photosynthesis**.

fotosíntesis

La **fotosíntesis** es la forma en que las plantas fabrican su alimento.

Las hojas de la planta fabrican el alimento durante la **fotosíntesis**.

Science Content Picture Dictionary

English

phylum

A **phylum** is a smaller group of organisms in a kingdom.

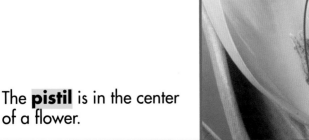

The animals in this **phylum** have a backbone.

physical change

A **physical change** is when matter changes to look different but does not become a new kind of matter.

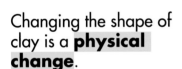

Changing the shape of clay is a **physical change**.

pistil

The **pistil** is the part of a flower that has eggs.

The **pistil** is in the center of a flower.

Spanish

filo

Un **filo** es un grupo más pequeño de organismos en un reino.

Los animales en este **filo** tienen columna vertebral.

cambio físico

Un **cambio físico** ocurre cuando la materia cambia y se ve diferente, pero no se ha convertido en un nuevo tipo de materia.

Cambiar la forma de la arcilla es un **cambio físico**.

pistilo

El **pistilo** es la parte de la flor que tiene huevos.

El **pistilo** está en el centro de la flor.

P

English

Spanish

pitch

Pitch is how high or low a sound is.

The drum has a low **pitch**.

tono

El **tono** es qué tan alto o bajo es un sonido.

El tambor tiene un **tono** bajo.

planet

A **planet** is a large object that orbits the Sun in a path that is almost a circle.

Earth is a **planet**.

planeta

Un **planeta** es un objeto grande que orbita al Sol en un camino que es casi circular.

La Tierra es un **planeta**.

plate

A **plate** is a large piece of Earth's crust and upper mantle.

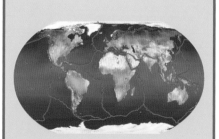

Earth's surface is made up of many **plates**.

placa

Una **placa** es un trozo grande de la corteza terrestre y del manto superior.

La superficie de la Tierra está formada por varias **placas**.

Science Content Picture Dictionary

English		Spanish

pole

A **pole** is the end of a magnet.

A magnet has a north **pole** and a south pole.

polo

Un **polo** es uno de los extremos de un imán.

Un imán tiene un **polo** norte y un polo sur.

pollen

Pollen is a tiny flower part that comes together with a plant's egg to make a seed.

Pollen forms on a flower's stamen.

polen

El **polen** es una pequeña parte de la flor que se une con un huevo de la planta para formar una semilla.

El **polen** se forma en el estambre de la flor.

pollination

Pollination is when pollen moves from a stamen to a pistil.

A bee moves pollen from a stamen to a pistil during **pollination**.

polinización

La **polinización** ocurre cuando el polen se mueve del estambre al pistilo.

Una abeja mueve el polen del estambre al pistilo durante la **polinización**.

English

Spanish

pollution

Pollution is anything harmful that is added to the environment.

The beach has a lot of **pollution**.

contaminación

La **contaminación** ocurre cuando un elemento dañino se agrega al medio ambiente.

La playa tiene mucha **contaminación**.

population

A **population** is all the organisms of one kind that live in a certain place.

Zebras make up one **population** in this ecosystem.

población

Una **población** la componen todos los organismos de un mismo tipo que viven en un lugar determinado.

Las cebras forman una **población** en este ecosistema.

potential energy

Potential energy is the energy that an object has because of where it is.

The roller coaster has the most **potential energy** at the top of the track.

energía potencial

La **energía potencial** es la energía que tiene un objeto por su ubicación.

Los carros de la montaña rusa tienen más **energía potencial** en la cima de los rieles.

English	Spanish

precipitation

Precipitation is when water falls to Earth as rain, snow, or hail.

Rain is one kind of **precipitation**.

precipitación

La **precipitación** ocurre cuando el agua cae a la Tierra en forma de lluvia, nieve o granizo.

La lluvia es un tipo de **precipitación**.

predator

A **predator** is an animal that catches and eats other animals.

The alligator is a **predator**.

depredador

Un **depredador** es un animal que atrapa y come otros animales.

El caimán es un **depredador**.

prey

A **prey** is an animal that other animals catch and eat.

The insect is **prey** for the frog.

presa

Una **presa** es un animal que otros animales cazan y comen.

El insecto es la **presa** de la rana.

English

Spanish

producer

A **producer** is a living thing that makes its own food.

The water lily is a **producer**.

productor

Un **productor** es un ser vivo que fabrica su propio alimento.

El lirio es un **productor**.

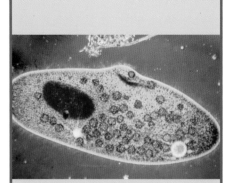

protist

A **protist** is in a kingdom made mostly of one-celled organisms with a nucleus.

A paramecium is a **protist** made of one cell.

protista

Un **protista** está en un reino formado mayormente por organismos unicelulares con un núcleo.

Un paramecio es un **protista** formado por una sola célula.

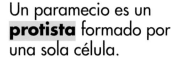

pulley

A **pulley** is a simple machine made of a wheel with a rope wrapped over it.

Lifting objects is easier with a **pulley**.

polea

Una **polea** es una máquina simple hecha de una rueda con una cuerda enrollada a su alrededor.

Es más fácil levantar objetos con una **polea**.

English

Spanish

pupa

A **pupa** is the stage after the larva in an insect life cycle.

A butterfly **pupa** changes inside a covering.

crisálida

La **crisálida** es el estado que sigue al de larva en el ciclo de vida de un insecto.

La **crisálida** de una mariposa cambia en su envoltura.

radiation

Radiation is thermal energy that moves as waves.

Radiation from the Sun warms the lizard.

radiación

La **radiación** es la energía térmica que se mueve en ondas.

La **radiación** del Sol calienta al lagarto.

recycle

Recycle means to make something new with a used resource.

One way to carefully use resources is to **recycle** them.

reciclar

Reciclar significa hacer algo nuevo con un recurso ya usado.

Una forma de usar los recursos cuidadosamente es **reciclándolos**.

R

English	Spanish

reflect

Reflect means to bounce back, as when light bounces off an object to make a reflection.

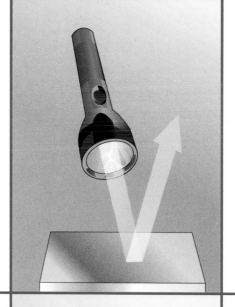

Light **reflects** from the flat surface.

reflejar

Reflejar quiere decir rebotar, así como cuando la luz rebota en un objeto para crear un reflejo.

La luz se **refleja** en la superficie plana.

refract

Refract means to change direction, as when light moves from one kind of matter to another.

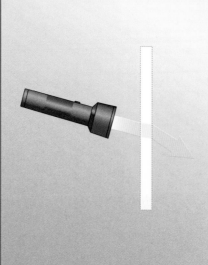

Light **refracts** when it moves from the air to the glass.

refractar

Refractar significa cambiar de dirección, así como cuando la luz se mueve de un tipo de materia a otro.

La luz se **refracta** cuando se mueve del aire al vidrio.

renewable resource

A **renewable resource** is a natural resource that can be replaced as fast as we use it, if we use it wisely.

Sunlight, water, and wind are **renewable resources**.

recurso renovable

Un **recurso renovable** es un recurso natural que puede ser reemplazado tan rápidamente como es usado si se usa sensatamente.

La luz solar, el agua y el viento son **recursos renovables**.

English		Spanish

repel

Repel means to push away.

Like poles of a magnet **repel**.

repeler

Repeler quiere decir empujar hacia afuera.

Los polos iguales de un imán se **repelen**.

reptile

A **reptile** is an animal with a backbone, scales, and lungs.

An iguana is a **reptile**.

reptil

Un **reptil** es un animal con columna vertebral, escamas y pulmones.

Una iguana es un **reptil**.

revolution

A **revolution** is one trip around the Sun, which takes one year and is called a year cycle.

Earth takes one year to make a **revolution**.

revolución

Una **revolución** es un viaje alrededor del Sol: toma un año y se llama ciclo anual.

La Tierra toma un año en hacer una **revolución**.

R

English

Spanish

root

A **root** is the part of the plant that takes in water and nutrients from soil.

A **root** takes in water for the plant.

raíz

La **raíz** es la parte de la planta que absorbe agua y nutrientes del suelo.

Una **raíz** absorbe agua para la planta.

rotation

Earth's **rotation** is one whole turn on its axis.

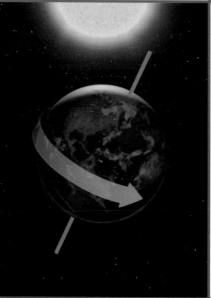

Earth's **rotation** takes one day.

rotación

Una **rotación** de la Tierra es una vuelta completa sobre su eje.

La **rotación** de la Tierra toma un día.

safety

Safety means not being hurt.

Safety is important when you use electricity.

seguridad

Seguridad quiere decir no resultar herido.

La **seguridad** es importante cuando usas la electricidad.

English		Spanish

scientific methods

The **scientific methods** are the ways scientists find answers to questions.

Scientists use **scientific methods** to answer questions about the solar system.

métodos científicos

Los **métodos científicos** son las maneras en las que los científicos encuentran respuestas a preguntas.

Los científicos usan **métodos científicos** para responder preguntas acerca del sistema solar.

season

A **season** is one of the four parts of a year.

The weather changes with each new **season**.

estación

Una **estación** es una de las cuatro partes del año.

El tiempo cambia con cada nueva **estación**.

sedimentary rock

Sedimentary rock forms when small pieces of rock are squeezed and stuck together.

Layers of rock pieces form **sedimentary rock**.

roca sedimentaria

La **roca sedimentaria** se forma cuando pequeños trozos de roca se compactan y se fusionan.

Capas de pedazos de roca forman la **roca sedimentaria**.

English

Spanish

seed

A **seed** is the part of the plant that grows into a new plant.

Most plants grow from a **seed**.

semilla

La **semilla** es la parte de la planta que se convierte en una planta nueva.

La mayoría de las plantas nacen de una **semilla**.

shadow

A **shadow** is a dark shape made when something blocks light.

You can block sunlight to make a **shadow**.

sombra

La **sombra** es la forma oscura que se hace cuando algo bloquea la luz.

Puedes bloquear la luz del Sol para hacer una **sombra**.

shelter

Shelter is a place where an animal stays to be safe from weather or danger.

The raccoon finds **shelter** in the tree.

refugio

Un **refugio** es el lugar en donde un animal permanece para estar a salvo del clima o del peligro.

El mapache encuentra **refugio** en el árbol.

English		**Spanish**

solar eclipse

A **solar eclipse** is when the Moon's shadow darkens part of Earth as the Moon passes between Earth and the Sun.

During a **solar eclipse**, the Moon blocks out the Sun.

eclipse solar

Un **eclipse solar** ocurre cuando la sombra de la Luna oscurece parte de la Tierra al pasar la Luna entre la Tierra y el Sol.

En un **eclipse solar**, la Luna bloquea el Sol.

solar system

The **solar system** is our Sun and the planets that orbit the Sun.

Our **solar system** has eight planets.

sistema solar

El **sistema solar** está compuesto por nuestro Sol y los planetas que orbitan alrededor del Sol.

Nuestro **sistema solar** tiene ocho planetas.

solid

A **solid** is a kind of matter that has its own size and shape.

rock

A rock is a **solid**.

sólido

Un **sólido** es un tipo de materia que tiene su propio tamaño y forma.

Una roca es un **sólido**.

English		Spanish
solution A **solution** is a mixture with two or more kinds of matter evenly spread out. You cannot see the pieces of matter in a **solution**.		**solución** Una **solución** es una mezcla de dos o más tipos de materia distribuidos en partes iguales. No puedes ver las partes de la materia en una **solución**.
species A **species** is the smallest group into which organisms can be classified. Only polar bears belong to the polar bear **species**.		**especie** Una **especie** es el grupo más pequeño en el que se pueden clasificar los organismos. Sólo los osos polares pertenecen a la **especie** de osos polares.
spore A **spore** is a tiny cell that can grow into a new plant. Moss plants have parts that make **spores**.	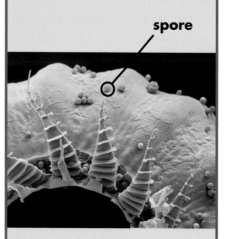 spore	**espora** Una **espora** es una pequeña célula que puede convertirse en una planta nueva. El musgo tiene partes que producen **esporas**.

English		**Spanish**

stamen

The **stamen** is the part of a plant that makes pollen.

The **stamen** is inside the flower petals.

estambre

El **estambre** es la parte de una planta que produce el polen.

El **estambre** está dentro de los pétalos de las flores.

star

A **star** is a very large ball of hot gas.

You see **stars** in the night sky.

estrella

Una **estrella** es una bola grande de gas caliente.

Ves **estrellas** en el cielo nocturno.

stem

A **stem** is the part of the plant that carries water and nutrients to leaves.

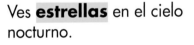

A **stem** moves water up the plant.

tallo

El **tallo** es la parte de la planta que transporta el agua y los nutrientes a las hojas.

El **tallo** transporta el agua hacia arriba en la planta.

S

English		**Spanish**

Sun

The **Sun** is the star nearest to Earth.

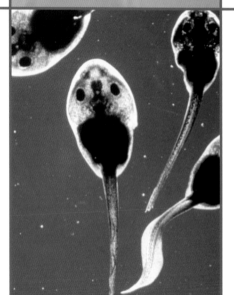

The **Sun** gives light and heat to Earth.

Sol

El **Sol** es la estrella más cercana a la Tierra.

El **Sol** brinda luz y calor a la Tierra.

tadpole

A **tadpole** is a young frog that lives in water.

A **tadpole** comes out of an egg.

renacuajo

Un **renacuajo** es una rana joven que vive en el agua.

Un **renacuajo** nace de un huevo.

temperature

Temperature is how hot or cold something is.

The **temperature** is warm.

temperatura

La **temperatura** es qué tan caliente o frío está algo.

La **temperatura** es cálida.

English

Spanish

thermal

Thermal is a word that tells about something that uses, makes, or is caused by heat.

A burning log gives off **thermal** energy.

térmico

La palabra **térmico** describe algo que usa, produce o es producido por efecto del calor.

Un leño ardiendo emite energía **térmica**.

thermometer

A **thermometer** is a tool that measures temperature.

You measure how hot or cold something is with a **thermometer**.

termómetro

Un **termómetro** es una herramienta que mide la temperatura.

Mides qué tan frío o caliente está algo con un **termómetro**.

tissue

A **tissue** is a group of cells of one kind that work together.

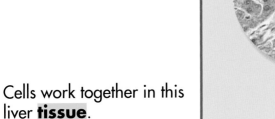

Cells work together in this liver **tissue**.

tejido

Un **tejido** es un grupo de células del mismo tipo que trabajan juntas.

Las células trabajan juntas en este **tejido** de hígado.

English

Spanish

topography

Topography is the landforms of a place.

Mountains are part of the **topography** of some places.

topografía

La **topografía** está formada por los accidentes geográficos de un lugar.

Las montañas forman parte de la **topografía** de algunos lugares.

universe

The **universe** is everything in space.

The **universe** has billions of stars and other objects.

universo

El **universo** está compuesto por todo lo que hay en el espacio.

El **universo** tiene miles de millones de estrellas y otros objetos.

vibrate

Vibrate means to move back and forth.

A sound is made when something **vibrates**.

vibrar

Vibrar quiere decir mover de un lado a otro.

Se produce un sonido cuando algo **vibra**.

English

Spanish

volcano

A **volcano** is a mountain with a hole that lava comes out of.

A **volcano** has tubes of magma.

volcán

Un **volcán** es una montaña con un agujero por el cual sale lava.

Un **volcán** tiene tubos de magma.

volume

Volume is the amount of space matter takes up.

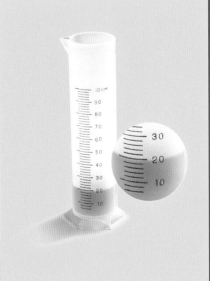

You can use a graduated cylinder to measure **volume**.

volumen

El **volumen** es la cantidad de espacio que ocupa la materia.

Puedes usar un cilindro graduado para medir el **volumen**.

water cycle

The **water cycle** is the way water moves from land to clouds and back to land.

Water moves in the **water cycle**.

ciclo del agua

El **ciclo del agua** es la forma en que el agua se mueve de la tierra a las nubes y de vuelta a la tierra.

El agua se mueve en el **ciclo del agua**.

W

English	Spanish

weather

Weather is what the outside air is like at a certain time and place.

Weather can be wet.

clima

El **clima** es cómo está el aire en el exterior a una cierta hora y lugar.

El **clima** puede ser húmedo.

weathering

Weathering is when rocks are broken into smaller pieces by water, wind, or living things.

Weathering caused this rock to break.

desgaste

El **desgaste** ocurre cuando las rocas se rompen en trozos más pequeños por acción del agua, el viento o los seres vivos.

El **desgaste** causó que esta roca se rompiera.

wheel and axle

A **wheel and axle** is a simple machine in which a wheel turns on an axle or an axle turns on a wheel.

axle

wheel

A Ferris wheel uses a **wheel and axle**.

rueda y eje

Una **rueda y eje** es una máquina simple en la que una rueda gira sobre un eje o un eje gira sobre una rueda.

Una rueda de la fortuna usa una **rueda y eje**.

Word:	Definition:	Word in Context:
Word:	Definition:	Word in Context:
Word:	Definition:	Word in Context:

Word:	Definition:	Word in Context:
Word:	Definition:	Word in Context:
Word:	Definition:	Word in Context:

Science Content Picture Dictionary

Word:	Definition:	Word in Context:
Word:	Definition:	Word in Context:
Word:	Definition:	Word in Context:

Word:	Definition:	Word in Context:
Word:	Definition:	Word in Context:
Word:	Definition:	Word in Context:

Science Content Picture Dictionary